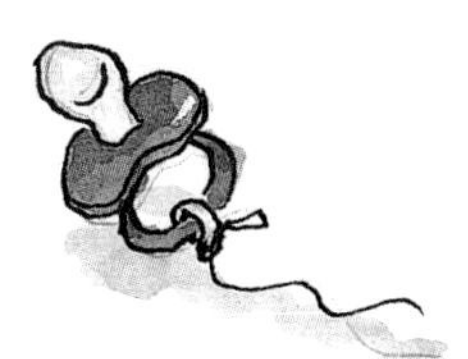

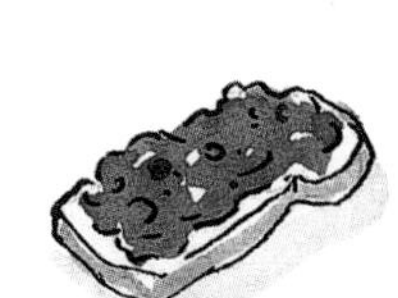

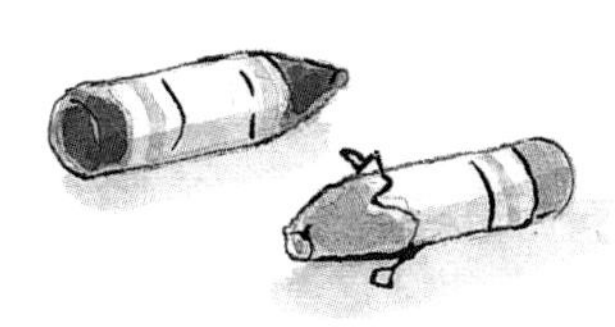

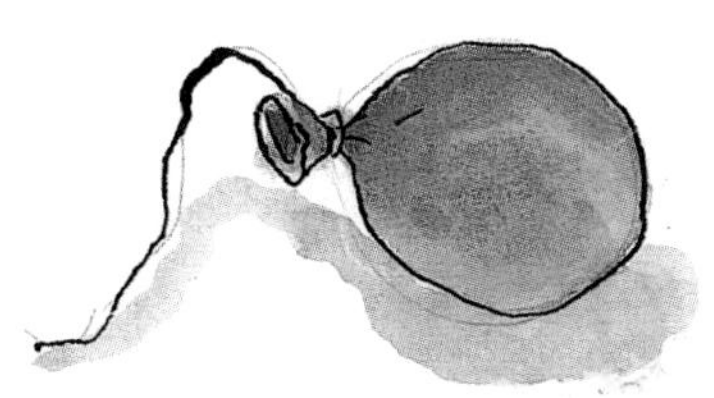

Selma Noort

Pak me dan!

met tekeningen van
Sandra Klaassen

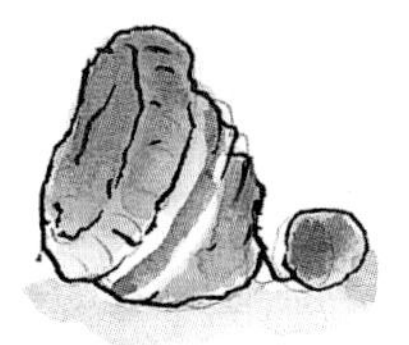

Boek 1 over Bart en Esra

Uitgeverij De Inktvis

www.inktvis.nl

Vormgeving: Hill van Walraven
Uitgeverij De Inktvis, Dordrecht

NUR 271
ISBN 90 75689 28 4

Kijk, hier wonen Bart en Esra

Ze wonen naast elkaar in de flat. Bart met papa en mama. Esra met baba en anne. Dat is hetzelfde, maar dan in het Turks. Ze spelen vaak samen. Ze staan op het balkon en ze zwaaien naar elkaar!

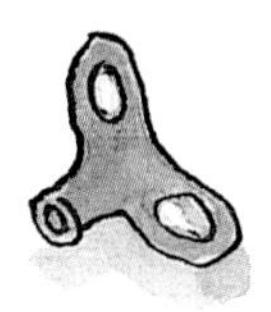

Bart vindt iets

Bart ligt op zijn buik en kijkt onder de keukenkast. Er ligt daar iets. Hij steekt zijn hand zover hij kan onder de kast. Met zijn wijsvinger schuift hij het iets naar voren. Het komt tevoorschijn. Er plakt grijs stof aan.
Bart veegt het af en bekijkt het eens goed. Wat is het? Hij staat op en loopt naar mama.
'Ik heb iets', zegt hij. 'Jij moet raden.'
Mama kijkt op.
Bart houdt zijn handen op zijn rug. Ze kan het iets niet zien.
'Eh... Een autootje.'
Bart schudt 'nee'.
'Een potlood? Ook niet? Een rozijntje? Poe, nou ik weet niet hoor, eh... Een knikker?'
Bart kijkt mama alleen maar aan.
Mama houdt haar hoofd scheef. 'Het is zeker iets moeilijks?'
Bart knikt.
'Een hotemetoot? Een oenemeloen? Een schetepeteetje?'
Bart moet lachen. Zijn hand gaat een beetje open. Bijna valt iets op de grond. Gauw knijpt hij zijn hand weer stevig dicht.
'Is het van hout?'

Daar moet Bart over nadenken. 'Nee', zegt hij.
'Van steen?'
'Nee.'
Mama zucht. 'Ik weet het niet, het is te moeilijk.'
'Het is iets, het lag onder de kast...' Bart gaat vlak bij mama staan. Hij doet zijn hand open.
'O! Het sleuteltje van de verwarming!' roept mama. 'Dat was ik al heel lang kwijt! Wat knap van jou dat jij dat hebt gevonden. Waar was het?'
'Onder de kast.' Bart wijst naar de keukenkast.
Mama pakt het sleuteltje uit zijn hand. 'Ik ga het nu goed opbergen, hoor.' Ze loopt naar de keuken en stopt het in een oud koektrommeltje.
'Ga je nog iets voor me zoeken?' vraagt ze.
Bart schudt zijn hoofd.
'Nee, ik ben klaar met vinden.'

Hoe kan dat nou?

Bart speelt bij Esra. Ze kijken overal onder. Misschien vinden ze wel iets.
Ineens geeft Esra een gilletje. Bart schuift naar haar toe.
'Kijk, die hagelslag loopt weg!' Esra wijst.
Bart kijkt langs Esra's vinger. 'Dat kan niet', zegt hij. Maar het klopt wel. Er loopt een hagelslagje over het zeil. Het is op weg naar de deur van het balkon.
Esra en Bart kijken naar elkaar.
'Hoe kan dat nou?' zegt Bart.
Esra begint hard te lachen. 'De hagelslag loopt!'
Bart moet ook lachen. Het is raar. Hagelslag heeft toch geen beentjes!
Het hagelslagje heeft haast. Het loopt snel. Bart en Esra schuiven er op hun buik achteraan. Het hagelslagje wil de drempel over. Dat zal niet meevallen.
Er komt een mier over de drempel van het balkon de kamer binnen. Hij loopt naar het hagelslagje en helpt hem omhoog.
Nu zien Esra en Bart het pas: onder het hagelslagje loopt ook een mier.
'Gaan we het tegen anne zeggen?' fluistert Bart.

Esra zegt altijd anne tegen haar mama. Bart mag dat ook wel zeggen, ook al is anne zijn mama niet.
'Nee, mieren mogen niet in de keuken van anne.'
Esra en Bart stappen het balkonnetje op. De mieren verdwijnen door het gaatje waar het regenwater door moet.
'Daar wonen ze, daar beneden', zegt Bart.
'Ja', zegt Esra. 'En die ene mier die was jarig, hè? En nou krijgen al die andere mieren een hapje hagelslag!'
'Hoeveel jaar werd hij?'
'Drie. Net als wij.'

Een mierenverjaardag

Er zit een gat in de vloer van het balkon. Dat gat gaat naar de regenpijp. Bart zit er op zijn knieën bij en brengt zijn gezicht er vlak voor.
'Gefeliciteerd!' roept hij, helemaal naar beneden - want daar woont een mier die jarig is.
'Zie je iets?' Esra komt naast hem zitten en tuurt ook in het gat.
'Alleen maar donker.'
'Ik zie vlaggetjes.'
Bart kijkt Esra verbaasd aan.
'En ballonnen.' Esra moet lachen om het gezicht van Bart. 'En cadeaus! Hihihi.'
'Nietes', zegt Bart.
'Je moet goed kijken!'
Bart bukt zich weer over het gat. Hij ziet nog steeds alleen maar donker. Hij denkt na.
'Ik hóór iets!' zegt hij.
'Wat dan?'
'Lang zal-die leven in de gloria.'
'Ga eens weg...' Esra legt haar oor bijna tegen het gat. 'O, ja.'

‘Nou ik weer.’ Bart duwt Esra al. Hij schreeuwt naar beneden, heel hard: ‘*HIEPERDEPIEP - HOERA!*’
Esra mag kijken wat de mier cadeau krijgt. Ze tuurt een tijdje in het gat. ‘Hij trekt nu de papiertjes los. En nu zegt hij eerst dank je wel tegen zijn vader en moeder. En tegen zijn opa en oma. En tegen zijn ooms en tantes...’
‘Wat krijgt hij nou?’
‘Wacht even. Ja, ik zie het.’ Esra staat op en veegt haar handen af aan haar broek. ‘Een fiets, een auto en een step’, zegt ze.

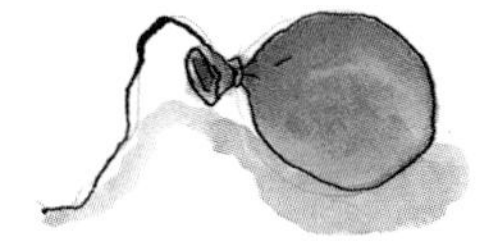

Een boze baby

Het is druk bij de slager. Anne wacht al lang op haar beurt. Esra en Bart staan bij het raam. Er komt een moeder binnen met een grote dikke baby in een wandelwagentje. Die zet ze bij Bart en Esra. Zelf gaat ze tussen de andere mensen staan.
Bart en Esra staren naar de baby. De baby staart terug. Hij heeft een speen in zijn mond waar hij hard op zuigt. De speen zit met een lintje vast aan zijn jasje.
Bart kan er niets aan doen. Hij wil heel graag weten wat er gebeurt als hij aan die speen trekt. Zijn hand gaat al naar de baby toe. Hij pakt de speen vast. De baby krijgt grote, ronde ogen van verbazing.
PLOP!
Esra slaat haar handjes voor haar mond. Ze begint te giechelen. De baby kreukelt zijn gezicht. Zijn oogjes gaan stijf dicht. Hij wordt rood en zijn mondje gaat wijdopen. '*WHAAAAH!*'
Bart pakt Esra's hand. Ze doen een paar stapjes achteruit. Esra giechelt niet meer. Een beetje angstig kijkt ze om naar anne. Maar die is eindelijk aan de beurt en wijst net iets aan.
De moeder van de baby komt tussen de mensen vandaan. 'Och och', zegt ze. Ze pakt het speentje en stopt het terug in

de grote gilmond van de baby. Die snikt nog eens, zijn mond gaat dicht, en hij is weer stil.
'Kom Esra, kom Bart', zegt anne. Ze is klaar met haar boodschappen en houdt de deur van de winkel open.
Esra en Bart stappen langs haar heen naar buiten. De baby zit achter het raam. Zijn oogjes schitteren nijdig.
Esra loopt snel achter anne aan en geeft haar een hand. Bart rent naar haar andere hand en pakt die vast.
'Nou, nou, wat een lieve kindertjes', zegt anne verbaasd.

Pak me dan!

Bart heeft een nieuwe muts op. Een groene met een blauwe streep en een blauw wolbolletje eraan. Hij rent de trappen af naar buiten. Esra zit op haar fietsje op de stoep bij baba, haar papa, die zijn auto wast.
'Esra!' schreeuwt Bart. Esra kijkt om.
'Kijk eens wat een mooie muts!'
'Hallo Bart', zegt baba. Hij heeft ook een muts op.
'Ik heb een nieuwe muts', zegt Bart nog eens.
'Wat een mooie, zullen we ruilen? De mijne is ook mooi, hoor.' Baba doet zijn muts af en wil hem aan Bart geven. Het is een grijze muts. Een saai mutsje zonder bolletje eraan.
'Nee, die is helemaal niet mooi!' roept Bart. Hij pakt gauw zijn eigen muts vast. Baba lacht.
Esra is van haar fietsje geklommen. 'Mag ik hem even op?' vraagt ze.
Bart wil dat liever niet. Maar baba staat erbij en kijkt naar hem. Hij durft niet goed 'nee' te zeggen.
'Heel even dan', zegt hij. En hij doet zijn muts af. Esra pakt hem uit zijn handen en trekt hem over haar hoofd.
'Hij past', zegt ze. En ze rent weg. 'Pak me dan, als je kan!'

Daar was Bart nou bang voor - dat ze ermee zou weglopen.
'Geef terug!' schreeuwt hij. Hij krijgt tranen in zijn ogen.
'Pak me dan! Pak me dan!' Esra loopt nog verder weg.
Bart rent naar haar toe, maar meteen rent ze weer weg. Esra rent om de lantaarnpaal heen. Bart ook. Ze rent om een fiets heen. Bart ook. Ze rent terug naar de auto.
Daar pakt baba haar snel vast. 'Geef Bart zijn muts terug, Esra. Zo is het genoeg.'

Bart komt al aangerend. Hij grist de muts van haar hoofd.
'Au, je trekt aan mijn haar!' gilt Esra.
'Eigen schuld!' schreeuwt Bart.
'Moet je maar niet plagen', zegt baba.

Vies!

Bart lust karnemelk en ook zoute haring. Dat is knap van hem, want papa lust geen zoute haring en ook geen karnemelk. Anne ook niet. 'O bah', griezelt ze. 'Ik lust helemaal geen melk, bah, dat is toch zo vies!'
'Ik lust alles', zegt Bart trots.
'Ook poep?' vraagt Esra. Ze kijkt gauw even naar haar moeder.
'Nee, natuurlijk niet!' roept Bart. Hij kijkt ook naar anne.
'Esra, doe niet zo raar', zegt anne. En ze kijkt streng naar Esra.
'Als je alles lust krijg je spierballen.' Bart kijkt heel tevreden. Hij wordt later groot en sterk, dat hebben papa en mama zelf gezegd.

'Ik lust koffie', zegt Esra.
'O! Dat is voor grote mensen!'
'Ik mag weleens een slokje van baba.' Esra knikt. Het is echt zo. En Bart mag dat niet van zijn papa. Lekker puh.
'Maar ik... ik lust mosterd!'
'Weet je wat ik lust? Ik lust...' Esra springt overeind. Ze rent naar anne die naar de keuken is gegaan en krijgt iets van haar uit een bakje.

Ze holt de kamer weer in. Anne komt met het bakje in de deuropening staan kijken. Esra doet haar hand open. 'Ik lust dit!' zegt ze. Er liggen twee groene glimmende dingen in haar handje. De dikste steekt ze in haar mond. 'Hmmm, lekker!'
'Wat zijn dat?' vraagt Bart.
'Snoepjes', zegt Esra. 'Eet maar op.'
'Dat zijn olijven, Bart', zegt anne. 'Ik weet niet of je die lust, hoor.'
'Ik lust alles', zegt Bart weer. Hij stopt de tweede olijf in zijn mond en bijt erin. Hij walgt en trekt gezichten en hij moet bijna spugen. Maar het lukt hem om de olijf fijn te kauwen en door te slikken.
'Lekker...' zegt hij schor.

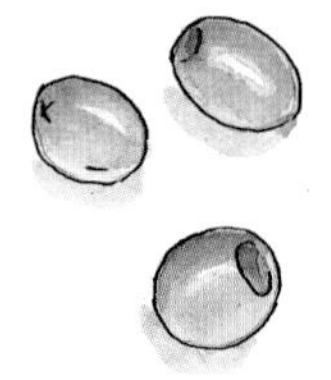

Een ketting voor tante Gulsum

De tante van Esra is op visite. Bart en Esra zitten onder de tafel. De grote mensen praten en de kinderen mogen niet praten, heeft baba gezegd.
'Ik vraag een snoepje', zegt Esra tegen Bart. 'Anne! Anne! Mag ik een snoepje? Anne!'
'Esra, niet schreeuwen als de grote mensen praten!' zegt anne.
'Ik heb pijn in mijn buik!' schreeuwt Esra.
'Dan mag je zeker geen snoepje', zegt baba en hij kijkt onder de tafel met een dikke, strenge frons tussen zijn wenkbrauwen.
Bart en Esra zitten een tijdje heel stil. Dan begint Esra te huilen en Bart moet vanzelf meehuilen, want ze ziet er zo verdrietig uit.
Tante Gulsum hoort het eerst. Ze komt onder de tafel kijken.
'Wat is dit nu?' roept ze. 'Kom maar bij tante Gulsum!'
Esra en Bart kruipen onder de tafel vandaan. Ze krijgen een snoepje uit het tasje van tante Gulsum. Esra mag bij haar op schoot zitten en Bart naast haar.
'Heb je rietjes?' vraagt tante Gulsum aan anne.
'Rietjes?' vraagt anne verbaasd.
'Ja, waar je limonade door drinkt', zegt tante Gulsum lachend.

‘En heb je ook een kinderschaartje?’
Anne brengt alles naar de tafel. Baba komt ook kijken. Ze zijn allemaal erg nieuwsgierig wat tante Gulsum gaat doen. ‘Nu nog twee draadjes garen’, zegt tante Gulsum.
Ze geeft Esra een paar rietjes. ‘Knip deze maar in stukjes.’
Esra kijkt naar baba en anne. Ze lachen, dus het mag echt.
IJverig begint ze te knippen. Als ze klaar is zegt tante Gulsum: ‘Kijk, en zo moet je ermee rijgen.’ En ze doet voor hoe dat moet.
‘Nu ga ik weer met anne en baba praten, en jullie gaan prachtige kettingen voor mij maken’, zegt ze.
Esra en Bart knippen en rijgen. Ze werken zo hard dat ze geen tijd meer hebben om door het praten van de grote mensen heen te schreeuwen.

Een verrassing

Baba heeft een doos bij zich. Esra en anne moeten raden wat erin zit.
'Een taart!' zegt anne.
'Een klein poesje', zegt Esra, want ze wil graag een klein poesje.
'Zoiets is het helemaal niet!' zegt baba en hij tikt tegen Esra's wang.
'Maar het is wel iets voor jou.'
Langzaam trekt hij het plakband om de doos los. Heel langzaam vouwt hij de doos open. En héél langzaam tilt hij er iets uit omhoog.
Het is een jurk. Een prinsessenjurk uit de speelgoedwinkel. Lichtblauw met bloemetjes, strikken en lintjes.
Anne slaat haar handen in elkaar. 'O, wat mooi! Kom, ik help je om hem aan te trekken, Esra.'
Esra sjort al aan haar truitje. Baba kijkt lachend toe. Als anne de jurk over Esra's hoofd heeft getrokken, zegt hij: 'Je bent een echte prinses!'
Esra draait rondjes in de jurk. Ze neemt kleine stapjes en grote stappen, ze loopt deftig en ze huppelt. Telkens als ze

beweegt, kriebelt de jurk een beetje aan haar benen.
Anne komt met de haarborstel. 'We gaan je helemaal mooi maken', zegt ze. Ze maakt Esra's vlecht los en kamt haar lange haren tot ze glanzend op haar rug hangen. Als ze klaar is fluistert ze in Esra's oor: 'Vergeet jij niet om dankjewel tegen baba te zeggen?'
Esra rent naar baba en kust hem voorzichtig op allebei zijn prikwangen.
'Mag ik mijn jurk aan Bart laten zien?'
Baba en anne lopen mee de hal van de flat in naar de voordeur van Bart. Esra bonst op de deur. Mama doet open. Bart komt ook aangerend.
Mama kijkt naar de jurk van Esra. En naar de lachende gezichten van anne en baba. 'O, Esra!' zegt mama. 'Je bent zo mooi als een prinses!'
Bart duwt haar opzij om ook te kunnen kijken. Als hij Esra's jurk ziet zegt hij niets. Stil staat hij haar aan te staren.
Dan kijkt hij omhoog naar mama.
'Mag ik ook zo'n jurk?' vraagt hij.

Prinses Bart en tante Esra

Esra speelt bij Bart met haar prinsessenjurk aan. Bart heeft een oude jurk van mama aan met een riem eromheen. Hij heeft ook nog een tasje en een glinsterend portemonneetje, en dat heeft Esra weer niet.
'Ik houd dat portemonneetje wel vast', zegt Esra.
Maar Bart klemt het in zijn vuist. 'Nee, die is van mij!'
'Schreeuw niet zo, Bart!' Mama probeert een boek te lezen.
Bart en Esra lopen naar de gang om verder te spelen. 'Ik was de prinses en jij was mijn tante', zegt Esra. 'En we gingen boodschappen doen. Geef het portemonneetje maar aan mij.'
'Nee!' Bart slaat Esra op haar hand, want ze wil alweer zijn portemonneetje pakken.
Esra gaat op de grond zitten. Ze verstopt haar gezicht in haar armen en wil niet meer naar Bart kijken.
Bart bukt zich over haar heen. 'Esra, Esra... Jij mocht ook een keer betalen en ik mocht ook even de jurk aan, goed?'
Esra kijkt op. 'Laat eens kijken in dat portemonneetje?'
Bart ritst het open. Er zit speelgoedgeld in. Esra zucht. 'Heel even dan', zegt ze.
Bart moet haar helpen om de jurk uit te trekken, en Esra

moet hem helpen om hem aan te trekken. Zodra Bart hem aan heeft pakt Esra het tasje. Het portemonneetje heeft ze al stevig vast. Zogenaamd doet ze een deur open en dicht. 'Bakker, één brood graag.' En ze peutert wat geld uit het portemonneetje.
Bart is eerst de bakker. Hij geeft haar het brood. Daarna moet Esra voor hem buigen, want dan is hij de prinses. Ze kopen ook nog tien gebakjes met slagroom en die eten ze allemaal op.

'En nu wil ik mijn jurk weer aan', zegt Esra.
'Zogenaamd, hè?'
'Nee, echt!'
'Dan wil ik mijn portemonneetje terug', zegt Bart.

Eigenwijs

Alle kinderen van de peuterspeelzaal zitten in de kring. Esra zit naast Bart. Juf Lisa weet een nieuw spelletje.
'Eh, Lotte, kom maar in de kring. Ga eens op je knieën zitten, zo ja, met je rug rond... Goed zo! Enne, Bart, jij mag kabouter Eigenwijs zijn.' Juf Lisa pakt Barts hand en trekt hem naar zich toe.
'Zo, ga maar op Lottes rug zitten, voorzichtig hoor. Lotte is de paddestoel en jij zit erop te wippen. En als wij dan zingen "krak, zei de paddestoel" dan moet jij omrollen, Lotte. En jij valt dan met je benen in de lucht, Bart. Kunnen jullie dat wel?'
'Ja!' roept Lotte. Bart knikt.
De kinderen beginnen te zingen. Ze weten nog niet zo goed hoe het liedje gaat, maar juf Brenda komt ook helpen met zingen. Bij 'krak!' rolt Lotte om, en Bart valt. Alleen vergeet hij zijn benen in de lucht te steken. En hij rolt met zijn hoofd tegen de poot van een stoel. '*AU!*'
Juf Lisa komt hem oprapen en aait over zijn hoofd. 'Je moet voorzichtig vallen!' zegt ze een beetje lachend. 'Wil je het nog een keer proberen?'
'Wil jij nu paddestoel zijn?' vraagt juf Brenda aan Esra.

Met glimmende oogjes staat
Esra op. Ze gaat keurig zitten
als een paddestoel en Bart
klimt op haar rug. Als de
kinderen 'krak!' schreeu-
wen, rolt Esra om. Bart valt
met zijn benen in de lucht...
En nu met zijn hoofd tegen de schoen van Joris.
Bart huilt alweer. 'Ik wil geen kabouter meer zijn!'
'Wat een pech', zegt juf Lisa. 'Ga maar op je stoel zitten.'
Joris wil nu wel kabouter Eigenwijs zijn. Hij valt met zijn
benen in de lucht en zijn hoofd nergens tegenaan. Juf Brenda
en juf Lisa klappen voor hem. Esra en de andere kinderen
ook. Alleen Bart niet.
'Het is een stom spelletje', zegt hij nijdig.

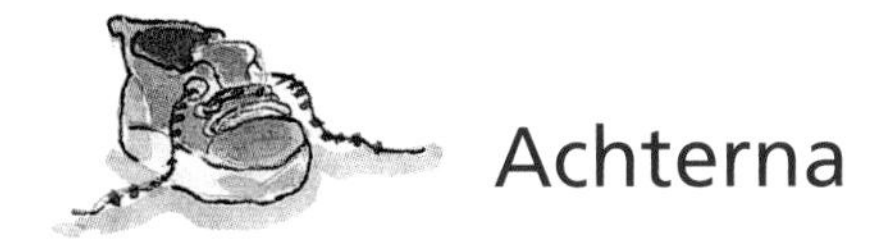

Achterna

Bart staat voor het raam. Hij ziet Esra beneden over de stoep lopen met baba. Ze lopen naar de hoek en steken over.
Bart kijkt naar papa. Papa leest de krant. Hij geeuwt en krabbelt op zijn hoofd.
Bart loopt naar hem toe en duwt tegen de krant. 'Ga je met mij wandelen?'
Papa laat de krant zakken. 'Wandelen? Waar naartoe?'
Bart wijst naar buiten. 'Naar de hoek.'
'En dan? Wil je naar de kinderboerderij? Of naar het speeltuintje?'
'Naar de overkant.'
Papa geeuwt nog eens en rekt zich uit. 'Nou, vooruit dan maar.'
Bart rent al naar de gang om zijn jas aan te trekken. Papa moet eerst nog plassen en daarna zegt hij dat Bart ook moet plassen.
'Ik hoef niet', zegt Bart. Hij wil dat papa opschiet. Straks zijn Esra en baba al heel ver weg gelopen.

'Je moet wel!' zegt papa streng. 'Anders plas je in je broek!'
Bart gaat maar gauw plassen. Daarna moet papa zijn hemd nog bij hem in zijn broek stoppen en zijn knoop weer vastmaken, en dan nog zijn veters strikken. Het duurt allemaal erg lang.
Eindelijk lopen ze buiten. Bart trekt papa mee, naar de hoek, naar de overkant, de straat uit.

Gelukkig. Daar zit baba op de bank bij de speeltuin. Esra is net bovenop de glijbaan geklommen. Ze ziet Bart en zwaait. Bart rent vooruit en klimt naar haar toe. Papa loopt op zijn gemak en komt pas het hek binnen als Bart al bovenaan de glijbaan staat. Hij loopt naar baba en geeft hem een hand.
'Ik zag jou lopen en toen gingen wij jullie achterna', zegt Bart tegen Esra. En dan gaat hij haar nog een keer achterna: roetsj, van de glijbaan af naar beneden.

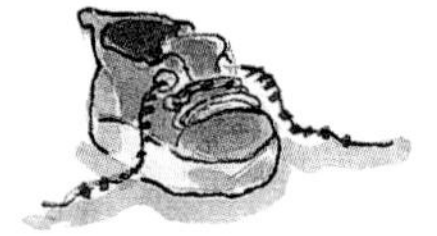

Iets blauws

In de zandbak in het speeltuintje, bijna helemaal verstopt onder de rand, ligt iets blauws. Esra ziet het eerst. Ze trekt eraan maar het zit stijf vast in het zand.
'Baba!' roept Esra. Maar baba praat met papa en kijkt niet op.
Bart probeert ook om het blauwe ding los te krijgen. 'We moeten het zand weghalen', zegt hij.
Ze graven samen. Ze krijgen er koude handjes van. Het blauwe ding komt steeds meer tevoorschijn.
'Het is een gietertje', zegt Bart.
'Nee, een emmer', zegt Esra.
Esra heeft gelijk. Eindelijk kunnen ze het lostrekken. Het is een mooi blauw emmertje met een bloem erop en een rood hengsel.
'Baba!' roept Esra. 'Kijk!'
Baba en papa kijken. 'Mooi, hoor!' roept baba. Papa steekt zijn duim omhoog. Dat betekent: dat hebben jullie goed gevonden. En daarna kijken de vaders niet meer, ze praten weer verder.
Ineens staat er een grote jongen in de zandbak. 'Die emmer is van mijn zusje', zegt hij.

‘Niet!’ zegt Esra. En ze houdt het emmertje achter haar rug. ‘Geef hier, het is niet van jou!’ zegt de grote jongen. Hij doet een stap naar voren. Esra wil weglopen met het emmertje. Naar baba. Maar ze struikelt in het zand en het emmertje valt en rolt weg. De grote jongen graait hem uit de zandbak, springt over de rand en rent weg, het hek door, de straat op. Esra huilt. Er komt een vieze snottebel uit haar neus. Bart

duwt haar zachtjes naar papa en baba toe en vertelt over de grote jongen.

'Die jongen moest die emmer teruggeven aan zijn zusje', zegt baba en hij veegt met zijn grote zakdoek Esra's oogjes droog en snuit haar neus.

'Het w... was onze emmer', snikt Esra.

'Nee, Esra, hij was niet van jou', zegt baba.

Zachtjes!

'Bart, je vergeet wéér om de deur dicht te doen.'
Bart kijkt om. Hij loopt terug en geeft de deur een duw.
BAM!
Mama zucht. Bart ook. Hij gaat weer spelen.
'We moeten die poppetjes hebben', zegt Esra.
'Welke poppetjes?'
'Die mannetjes van die auto.'
Bart weet al wat Esra bedoelt. Die mannetjes liggen in zijn kast. Hij staat op en loopt naar zijn kamer. Even later komt hij terug.
'Kijk. Deze mag ook meedoen. Deze...'
'Bart! Deur dicht!'
Mama schreeuwt er zomaar doorheen als Bart aan het praten is. Boos geeft hij de deur een gooi. BAM!
Esra rijdt met een busje vol poppetjes. 'Wij gaan naar Turkije.'
Ze maakt de deur open en rijdt met de bus naar de gang.
'Uitstappen, we zijn er!'
'En ik kwam met het vliegtuig! *BROOOOEEM, BROEM!*' Bart pakt zijn vliegtuigje van de grond en vliegt naar Turkije.
In de kamer waait het gordijn omhoog.

'Hola!' roept mama. '*DEUR DICHT!*' Ze kan heel hard schreeuwen, in Turkije kunnen ze haar horen. Esra geeft de deur een duw. BENG!
Oeps. Ineens is mama ook in Turkije.
'Ik deed de deur al dicht', zegt Esra met een klein stemmetje.
'Kom eens hier.' Mama wenkt Bart en Esra. 'Kijk eens.' Ze doet de deurknop omlaag en wijst naar de zijkant van de deur. Een ding verdwijnt in het slot. Ze doet de deurknop omhoog en het ding komt er weer uit.
'Zo kun je de deur zachtjes dichtdoen', zegt mama.
Bart en Esra zetten de bus en het vliegtuig neer. Ze doen de deurknop omhoog en omlaag. Wel twintig keer. En telkens komt dat ding uit het slot en verdwijnt het er weer in.
Bart wist niet dat hij zo'n deur had thuis.
'Leuk, hè!' zegt hij trots.

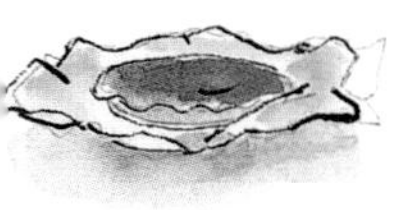

Zoeken

Anne heeft heel lekkere koekjes gekocht. Er zit roze liksuiker op en ze zitten in een roze papiertje.
'Mogen wij zo'n koekje?' vraagt Esra.
'Straks', zegt anne. Ze is aan het koken.
Esra en Bart lopen naar het raam. Ze kijken naar buiten.
Beneden loopt een man met een hond. De bus rijdt voorbij.
'Ga eens vragen of het al straks is', fluistert Esra.
Bart durft niet goed. Hij laat zich door Esra naar de keuken duwen.
'Wat is er Bart, moet je plassen?' vraagt anne. Het ruikt lekker in de keuken, naar avondeten.
'Is... Is het al straks?' vraagt Bart zacht.
Anne staart hem aan. Het duurt lang voordat ze hem begrijpt. Dan moet ze lachen. 'Nog heel even', zegt ze.
Bart gaat terug naar de kamer. 'Nog heel even', zegt hij tegen Esra. En dat is echt zo, want anne roept al.
'Bart! Esra! Kom maar.'
Ze rennen naar de keuken.
'Jullie moeten zoeken', zegt Anne.
Bart kijkt al rond. Ziet hij daar iets onder de kruk? Nee,

geen roze papiertje. Esra gaat ook zoeken. In het kastje. Nee, daar staan alleen blikken in. En in het andere kastje alleen pannen. Bart duwt haar opzij en kijkt bij het brood. Anne staat bij het aanrecht en lacht alleen maar.
Ze kijken overal maar nergens liggen roze koekjes.
'Jij hebt helemaal niks verstopt!' Esra huilt bijna.
'O, nee? Hebben jullie ook al gezocht waar het koud is?'

Koud? Bart rent naar de koelkast en rukt de deur open.
Daar liggen de koekjes, naast de eieren. Esra grist ze eruit.
Lachend geeft ze een pakje aan Bart.
'Wat zeggen jullie dan?' vraagt anne.
'Dankuwel', zegt Bart.
'Hihihi! Dankjewel voor die koude koekjes.'

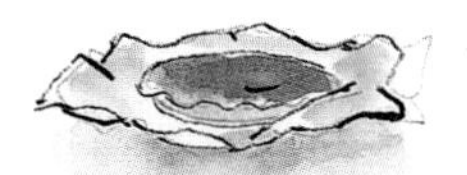

Klaar?

Bart kijkt benauwd. Hij staat er een beetje raar bij. Met zijn hand duwt hij hard tegen de achterkant van zijn broek.
Juf Brenda loopt langs om een kwast schoon te maken. Ze loopt hem bijna voorbij, maar staat ineens stil.
'Wat is er, Bart?' vraagt ze. En ze bukt zich zodat ze zijn gezicht goed kan zien. 'Moet je naar de wc?'
Bart knikt. Hij begint te huilen.
'Kom maar gauw', zegt juf Brenda. En ze trekt hem mee.
Bart huilt nu heel hard. 'Maar ik moet poepen!'
'Dat geeft niks, mannetje. Ik veeg je billen wel af.' Ze zijn al bij de wc-tjes. Snel trekt juf Brenda Barts broek naar beneden. Precies op tijd.
'Roep maar als je klaar bent, Bart. Ik laat de deur open, goed?'
Bart knikt met een rood hoofd dat het goed is. Juf Brenda gaat weg. Nu is Bart helemaal alleen in de wc's. Er zijn stickers van eendjes boven de wastafels op de tegels geplakt, en er hangen twee gele handdoeken. Bart is er wel eens eerder geweest natuurlijk. Maar dat was om te plassen. Poepen doet hij altijd bij papa en mama.

Bart leunt met zijn hoofd tegen de tegels. Hij kijkt naar de eendjes.
Binnen zegt Esra: 'Juf, waar is Bart?'
Juf Brenda schrikt. Ja, Bart zal nu toch wel klaar zijn. Hij zit al een hele tijd op de wc. Maar ze heeft hem niet horen roepen.
Esra gaat met juf Brenda mee kijken. Ze horen niets. Ze kijken om de hoek...
Daar zit Bart, met zijn broek op zijn schoenen, lekker te slapen op de wc.
'Ach, wat een lieverd', zegt juf Brenda lachend.
'Oh, het stinkt!' zegt Esra.

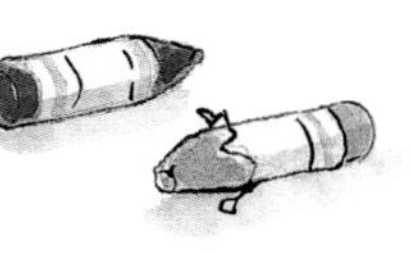

Voor de wind, van Esra

Esra heeft een tekening gemaakt met krijt. Allemaal blauwe stippen en bovenaan grijs. Dat is een regenwolk, net zoals de wolken buiten.
'Kijk, juf!' zegt ze tegen juf Brenda. 'Mooi, hè?'
Na het tekenen gaan ze liedjes zingen. Ook al over de regen.
En dan komt mama om Esra en Bart op te halen. Esra rent naar haar toe met haar tekening. 'Kijk eens, mama van Bart!' roept ze.
Mama vindt de tekening ook heel mooi.
'En hier staan de letters van mijn naam', zegt Esra. Ze wijst naar haar naam die juf Lisa in de hoek van de tekening heeft geschreven.
Jassen aan. Laarsjes aan. Mama wil Esra's tekening opvouwen en in haar jaszak stoppen. Maar dat mag niet van Esra. 'Dan kreukelt hij!'
'Maar anders wordt hij nat buiten', zegt mama.
Esra denkt daar over na.
'Het is toch een regentekening', zegt ze. 'Dat mag wel.'
Buiten rukt de wind aan haar tekening. Esra moet hem stevig vasthouden. Bart loopt naast mama. Hij is druk aan het praten.

Ze letten even niet op Esra.
Wooooeei! De wind trekt. De tekening klappert.
'Nou!' schreeuwt Esra kwaad. 'Hou op!'
De wind trekt nog harder. Grote regendruppels komen tegen Esra's ogen en haar wangen. '*HOU OP!*'
Dat horen mama en Bart. Ze rennen naar Esra om haar te helpen.
Te laat. De tekening scheurt en waait weg. Esra heeft alleen nog het hoekje met haar naam erop in haar hand.
'Nu heeft de wind mijn tekening', zegt ze met een klein stemmetje.
Bart kijkt naar het stukje dat ze nog overheeft. Voor mama hem kan tegenhouden heeft hij het uit haar hand gegrist en in de lucht gegooid. De wind neemt het mee, omhoog naar de wolken.
'Wat doe je nou?' vraagt mama verschrikt.
Maar Esra lacht naar Bart. 'Anders weet de wind niet dat ik die mooie tekening heb gemaakt, hè Bart?' zegt ze.

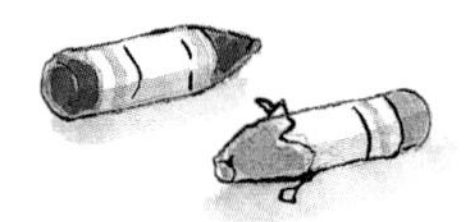

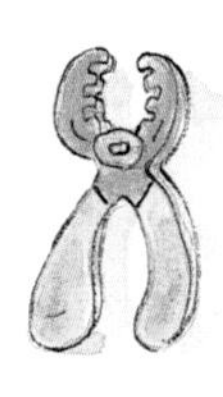

Werkmannen

Bart en Esra zijn werkmannen. Ze kijken als werkmannen en ze lopen met grote, zware stappen. Bart heeft een plastic hamer en een plastic zaag, en Esra heeft een opschrijfboekje en een meetlat en een plastic tang.
'Wat moeten we voor u maken, mevrouw?' vraagt Bart aan anne.
Anne kijkt eens om zich heen. 'Eh, de kachel is kapot, meneer.'
Bart en Esra rennen naar de verwarming. Esra meet. 'Tien meter', zegt ze. En Bart schrijft een één en een nul in het boekje, want hij kan al tien schrijven. Esra draait overal aan met de tang. Bart zaagt en timmert. Als ze klaar zijn, rennen ze terug naar anne.
'Anne, is er nog iets kapot?' vraagt Esra.
'Je moet zeggen: mevrouw!' Bart geeft Esra een duwtje.
'O, ja. Wat moeten we nog meer maken, mevrouw?'
'De trap is ook kapot, enne... de wc ook', zegt anne.
Ze maken eerst de trap. En dan is Esra zo moe van het harde werken dat ze per ongeluk haar tang in het water van de wc laat vallen.
Verschrikt kijkt ze naar Bart. 'Jij moet hem pakken.'

Bart buigt zich over de wc. Esra kijkt of anne er soms aankomt. Maar anne is nog binnen in de kamer. Bart steekt zijn hand in het water. Zijn mouw wordt een beetje nat. Snel geeft hij de tang aan Esra.
Esra veegt hem droog aan haar rok.
'Mijn mouw is nat', zegt Bart huilerig.
'Kom maar.' Esra blaast tegen zijn mouw. Wel tien keer, heel hard.
'Een beetje nat geeft niks voor een werkman', zegt ze troostend.

Dat is waar. Bart is een werkman. Hij kijkt meteen weer stoer. Ze gaan terug naar de kamer.
'De wc is gemaakt', zegt Esra. 'Is er nog meer kapot?'
'Nee, nu is alles weer heel en daar ben ik erg blij mee', zegt anne. 'Lusten werkmannen ook roze koekjes?'
Esra en Bart kijken elkaar aan en knikken, langzaam als mannen.
'Ja mevrouw', zegt Bart met een zware stem.

Esra bijt een haai

Papa en baba gaan met Bart en Esra naar het zwembad.
'Niet hollen op de natte tegels', zegt papa. 'Anders glijd je uit.'
Langzaam, voetje voor voetje lopen ze naar het kikkerbad.
Baba gaat op de rand zitten en begint de zwemvleugeltjes van Esra op te blazen. Die zijn oranje en ze gaan een beetje moeilijk om haar armen.
Papa blaast Barts vleugeltjes op. Die van hem zijn blauw met Micky Mouse erop.
'Mooi, hè!' zegt Bart tegen Esra als hij ze om heeft.
'Ik wil die', zegt Esra tegen baba.
'Oranje is ook mooi', zegt baba streng. Hij is alweer bijna klaar met de zwemband van Esra, een witte zwaan met een lange hals. Als de zwaan vol is geblazen moet Esra hem om haar buik.
Papa blaast de zwemband van Bart op. Het is een nieuwe. Een dikke haai met een bek vol tanden en gemene ogen.
'Kijk eens!' roept Bart tegen Esra. 'Moet je kijken! Mooi, hè!'
Bart mag de haai om. Voorzichtig loopt hij van de brede trap het water in. Baba komt achter hem aan met Esra aan zijn hand. Even later liggen ze allevier in het water.

'Mijn haai is mooi, hè?' zegt Bart. 'Hij kan bijten, hij is héél gevaarlijk! Mooi is hij, hè? Haaien zijn veel gevaarlijker dan zwanen...'
Esra buigt zich ineens voorover. Hap! Ze bijt zomaar in zijn haai.
De haai kreukelt. Zijn grote tanden kreukelen en zijn grote bek kreukelt.
'Papa!' schreeuwt Bart.
Papa en baba komen. Verbaasd kijken ze naar de haai, die al bijna helemaal slap is.
'Nou moe', zegt papa. 'Dat ding is nog nieuw en nou al kapot!'
Baba schudt met zijn hoofd. 'Zonde van je mooie haai, Bart.'
Bart kijkt naar Esra in haar zwaan. Ze lacht.
Bart begrijpt er niets van. 'Hoe kan dat nou?' zegt hij.

Visite

Anne komt op visite, maar eerst moet alles klaarstaan. Bart dekt het keukentrapje, want dat is de tafel. Drie plastic bordjes, drie kopjes, drie lepeltjes. Esra kookt. Ze heeft een pan vol eten. Plastic pizza en taart, doperwten, vissticks en patatjes. 'We eten heel lekker!' roept ze alvast naar anne, die nog in haar eigen grote keuken is.
'Ik ben klaar met de tafel dekken', zegt Bart.
Esra komt kijken. 'Nog vorkjes.'
Bart bukt zich over de doos spulletjes, op zoek naar vorkjes.
Daar is anne al. 'Is het eten klaar? Ik heb heel veel honger.'
Bart grist een vork uit de doos en rent ermee naar het tafeltje.
'Komt u maar zitten, mevrouw', zegt hij.
'Eh, ja... Maar waarop?' vraagt anne.
Bart en Esra kijken elkaar aan. Esra rent al weg, naar het balkon.
Daar staat haar plastic stoeltje. Ze sjouwt hem naar binnen.
'Doe jij de deur van het balkon even achter Esra dicht?' vraagt anne aan Bart. 'Anders waait mijn eten weg.'
Daar moet Bart om lachen. Hij rent al naar de keuken om de deur dicht te doen. Zachtjes, zonder BENG. Want hij weet hoe dat moet.

Anne gaat zitten. Ze kijkt deftig. 'Ik wil wel een bordje vól eten!'
Esra schept op. 'Lust u alles?'
'Ja, vooral veel taart.' Anne proeft. Ze proeft. 'Hmmmm, lekker zeg.'

Esra kijkt naar Bart. Ze lachen naar elkaar. Bart wijst op de plastic doperwtjes. 'Zijn die ook lekker?' vraagt hij.
'Héérlijk!' zegt Anne. En ze stopt de plastic doperwtjes bij de plastic taart onder haar trui.
Esra en Bart kijken naar de rare bobbels onder anne's trui.
'Nou zit alles in jouw buik, hè?' zegt Bart. Hij draait zich om naar Esra en doet haar haren opzij zodat hij in haar oor kan fluisteren.
'Zogenáámd, hoor!' fluistert hij.

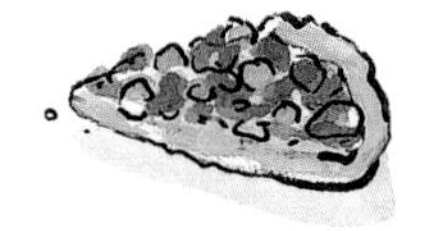

Een ongelukje

Joey is stoer. Hij heeft gel in zijn kuifje en altijd gymschoenen aan. En als hij vier jaar wordt gaat hij naar de basisschool. Dat is al bijna. En dan kan hij niet meer op de peuterspeelzaal met Esra en Bart spelen. Esra vindt Joey leuk omdat hij altijd achter haar aan komt rennen als ze zegt: 'Pak me dan, je kan me toch niet pakken!'

Maar vandaag is er iets met Joey. Hij wil niet rennen. Hij zit heel stil in het speelhuis in een donker hoekje en als Esra bij hem komt zitten, draait hij zijn gezicht naar de muur.

Esra kruipt het speelhuis uit. 'Joey wil niet rennen', zegt ze beteuterd tegen Bart.

Bart gaat ook eens kijken. 'Wat is er dan?' vraagt hij lief. 'Ben je boos? Ben je verdrietig?'

Joey zegt niks. Hij ziet er wel verdrietig uit.

Bart en Esra gaan naar juf Brenda.

'Joey is verdrietig', zegt Bart. 'Hij zegt niks en hij wil niet rennen.'

'Hij heeft buikpijn en voetpijn en hoofdpijn', zegt Esra. 'Hè, Bart?'

Juf Brenda vindt het ook wel raar dat Joey niet wil rennen.

'Waar is hij eigenlijk?' vraagt ze, en ze kijkt rond.
'In het speelhuis', zeggen Esra en Bart. Ze hollen er al naartoe. Binnen zit Joey daar nog steeds zo stil. Juf Brenda blijft even klem zitten bij het deurtje, maar dan lukt het haar ook om naar binnen te kruipen.

‘O’, zegt ze. ‘Ik zie het al. Kom maar knul, dan krijg je een schone broek aan.’ Ze pakt Joey vast en duwt hem zachtjes het speelhuis uit.
Op de grond waar Joey heeft gezeten ligt een grote plas. Bart en Esra kijken ernaar tot juf Brenda komt en de plas opdweilt.
‘Iedereen heeft weleens een ongelukje’, zegt juf Lisa.
‘Ook op de grote school?’ vraagt Esra.
‘Ja, hoor. Soms plassen grote kinderen ook wel eens in hun broek.’
Juf Lisa lacht tegen Bart en Esra. ‘Echt, hoor!’ zegt ze.

Niet lief

Esra en Bart spelen dat ze juf zijn. Barts knuffels zijn de kinderen: zijn lieve beer, zijn hondjes, zijn pop, zijn badeenden en al zijn andere dieren. Ze zitten netjes in een kring.
Juf Esra vertelt een verhaal aan de kinderen. 'Er was eens een hele stoute kabouter. En die moest voor straf zonder eten naar bed. En de koningin trok heel hard aan zijn neus en hij mocht nooit meer buiten spelen en de kabouterkoning gooide al zijn speelgoed weg.'
Zo. Poe. Bart knippert met zijn ogen.
Hij kijkt de kring rond en pakt zijn beer. 'Toen kwam er een lieve kabouter en die gaf hem een heleboel koekjes', zegt hij tegen zijn knuffels. Hij drukt zijn beer tegen zijn wang. 'En toen waren ze niet meer boos op de kabouter.'
Esra komt bij hem staan. Ze brengt haar gezicht vlakbij de beer en schreeuwt in zijn oor: 'Ze waren nog wel boos en niemand wilde met hem spelen.'
Bart trekt zijn beer weg. 'Je moet een lieve juf zijn!'
'Dat moet helemaal niet!'
Mama komt Barts kamer binnen. 'Esra, baba is er, je moet eten.'

Esra gaat met baba mee. Zonder 'dag' te zeggen tegen Bart. Bart vindt het fijn dat Esra weggaat. Hij blijft in zijn kamer. Hij knipt zijn nachtlampje aan en stopt al zijn knuffels onder zijn dekbed. Alleen hun neuzen laat hij erboven uitsteken.

'Stil maar. Zo, niks aan de hand. De deur staat op een kier, en het lichtje is aan. Er is niks om bang voor te zijn. Het was niet écht, hoor, van die kabouter. Ga maar lekker slapen.'

Mama zit op de bank in de kamer. Bart kruipt bij haar op schoot en duwt zijn gezicht in haar hals.

Mama aait zijn rug. 'Ha, vriendje van me', zegt ze. 'Kleine man, honneponnetje, suikerfondantje, knuffelbeertje. Vind je me nog lief?'

'Héél lief', zegt Bart.

Als je boos bent

Papa smeert een boterham met jam voor Bart.
'Weet je, papa', vertelt Bart. 'Joey hè, die wou niet met Kimberly spelen en weet je wat ze toen zei tegen Joey?'
Papa schuift de boterham met jam naar Bart. 'Zo, niet kliederen graag. Nou, wat zei ze?'
Bart zegt zo'n lelijk woord dat papa van schrik de hik krijgt.
'Hik... Zei, hik, ze dat echt?' Papa kan het bijna niet geloven.
'Ja, echt.' En Bart zegt het lelijke woord nog eens.
'Goeie help', zegt papa. 'Hik! Dat is niet best. Dat meisje heeft zeker hele grote broers en zussen?'
'Nee hoor, haar moeder zegt het ook altijd', zegt Bart.
Papa schiet in de lach. 'Hoe weet jij dat nou?'
'Juf Lisa zei: van wie leer jij zulke lelijke woorden? En toen zei Kimberly: mama zegt dat ook altijd.'
'Tja', zegt papa. 'Wat zeg jij als jij erg, hik, boos op iemand bent?'
En daar zegt Bart dat vreselijk lelijke woord alweer. Hij kijkt er vragend bij naar papa.
'Hik!' Papa schudt zijn hoofd. 'Dat mag niet van mij. Je moet iets anders verzinnen.'

Bart vergeet zijn boterham op te eten. 'Wat dan?'
'Nou, als je heel boos bent op een kind, dan zeg je bijvoorbeeld: Hou daar mee op, oliebol!'
Bart moet lachen. 'Oliebol!' herhaalt hij.
'Of, eh, snotneus! Enne... poepbroek! Of, hik, tuinkabouter!'

Bart moet vreselijk lachen. 'Poepbroek!' roept hij. Dan wordt hij stil en begint hij te eten. Als hij zijn boterham bijna op heeft kijkt hij weer naar papa. 'Maar iedereen doet weleens per ongeluk iets in zijn broek', zegt hij. 'Grote kinderen ook.'
'O ja?' Papa denkt even na. 'Nou, zeg dan maar geen poepbroek.'
'Wat zeg jij als je heel boos bent?' vraagt Bart.
Papa staart naar zijn boterham. 'Eh, dan zeg ik: hou je kop!'
'Dat is niet zo erg, hè?' zegt Bart.
'Nee, dat mag je best zeggen. Soms. Hik!'

Wat zeg je dan?

'Niet rennen in de winkels, niet schreeuwen en handjes op je rug', zegt anne. Ze moet boodschappen doen en Esra en Bart mogen mee. Eerst gaan ze naar de drogist. Esra en Bart kijken naar de dropjes in de plastic potten.

'Ik kies die', zegt Esra, en ze wijst naar de gekleurde dropjes.

'Ik kies die', zegt Bart, en hij wijst naar de dropcenten.

Als anne klaar is met haar boodschappen geeft de mevrouw van de drogist Esra een gekleurd dropje, en Bart een dropcent.

dank u wel

'Wat zeg je dan?' vraagt anne.

'Dankuwel', zeggen Bart en Esra en ze lachen naar elkaar.

Bij de bakker is anne meteen aan de beurt. De mevrouw die haar helpt geeft Esra en Bart allebei een halve krentenbol.

'Kijk eens, voor dit vriendje en vriendinnetje!' zegt ze.

‘Wat zeg je dan?’ vraagt anne.
‘Dankuwel’, zeggen Bart en Esra.
In de groentewinkel zingt de groenteboer: ‘Steek een appeltje in je mond, dan blijf je vrolijk en gezond!’ En hij geeft ze allebei een appeltje met sproetjes.
‘Wat zeg je dan?’
‘Dankuwel!’
De slager trekt Esra aan haar staartje en Bart aan zijn oor.
Ze krijgen een stukje worst van hem.
‘Wat zeg je dan?’
‘Dankuwel.’
Van de meneer van de stomerij krijgen ze een lollie.

‘Wat zeg je dan?’
‘Ik wou liever een groene’, zegt Esra.
‘En ik een roze’, zegt Bart.
Anne trekt Esra en Bart snel mee naar buiten. ‘Als je iets krijgt moet je alleen maar dankuwel zeggen’, moppert ze.
‘Dat heb ik al de hele tijd gezegd!’ schreeuwt Esra.
‘Ja, al tienduizend keer!’ zegt Bart zuchtend.

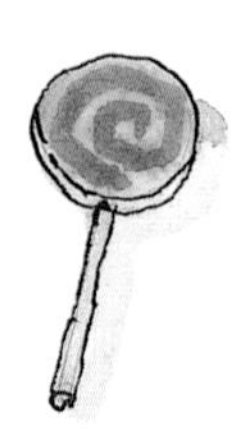

Voorzichtig!

Esra en Bart spelen buiten op hun fietsjes. Esra kan al zonder zijwieltjes fietsen, heel hard, over de stoep. Bart kan ook fietsen: mét zijwieltjes, heel langzaam, en heel scheef.
Tring! Tring! Esra racet voorbij.
Anne komt het balkonnetje op. 'Esra!'
Esra remt hard. Haar achterwiel schuift over de stoep. Ièièièiè! Ze draait zich om en kijkt naar boven.
'Niet zo wild!' roept anne. 'Voorzichtig.'
Tegen Bart zegt ze niet: voorzichtig. Bart doet niet wild op zijn fiets. Met zijn tong uit zijn mond trapt hij langzaam als een slakje voorbij over de stoep.
Mama komt ook even het balkonnetje op. 'Goed zo, Bart! Flink oefenen!'
Bart trapt wat harder, nu mama kijkt. Zijn ene zijwieltje steekt ver omhoog in de lucht. Hij zakt steeds schever op zijn fietsje... BONK. Daar ligt hij op de stoep, met fiets en al.
'*IE-AA! IE-AA! IE-AA!*' Esra remt keihard, vlak naast hem, en springt van haar fietsje af.
'Ik bloed!' zegt Bart. Hij is gaan zitten en kijkt naar zijn knie. Zijn hand doet ook pijn. Er komen tranen in zijn ogen en zijn

mond begint te bibberen. 'Mama...' jammert hij.
Mama is gauw naar beneden gerend. Ze komt er al aan. 'Ach, jochie toch', zegt ze. Ze geeft Bart een kus op zijn knie en op zijn handje.
Anne is ook naar beneden gekomen. Ze kijkt eens goed naar Barts fiets. 'Het ijzer van dat ene wieltje is helemaal krom', zegt ze.

'O, daarom hing hij zo opzij', zegt mama. Ze veegt Barts tranen van zijn wangen en geeft hem nog een dikke kus.
'Ik deed niet wild', zegt Bart, nog snikkend. 'Ik was heel voorzichtig.'
'Ja', zeggen mama en anne. 'Je kon er niks aan doen.' En ze kijken naar Esra, die weer voorbij zoeft met één handje los en haar haren wapperend in de wind.